제61화 「배신의 막」

이 싸움의
시작은

건담
이었다.

건담 1호기로 가토와 핵탄두를 쫓았고, 그리고 우주로…

오스트레 일리아에서 가토에게 빼앗긴 건담 2호기.

MOBILE SUIT
GUNDAM
0083
REBELLION
STARDUST MEMORIES

CONTENTS

만화 나츠모토 마사토

원작 야다테 하지메 토미노 요시유키

협력 선라이즈

콘셉트어드바이저 이마니시 타카시

건담의 인연은
두 대가
대파되면서
끝났다고
생각했다.

하지만
가토는
새로운 MA에
타고 콜로니를
지구로
떨어트리려고
한다.

하지만
이쪽에는
건담이…
3호기가 있다.

건담으로
시작된 일은
건담으로
끝낸다!!

제61화 「배신의 막」

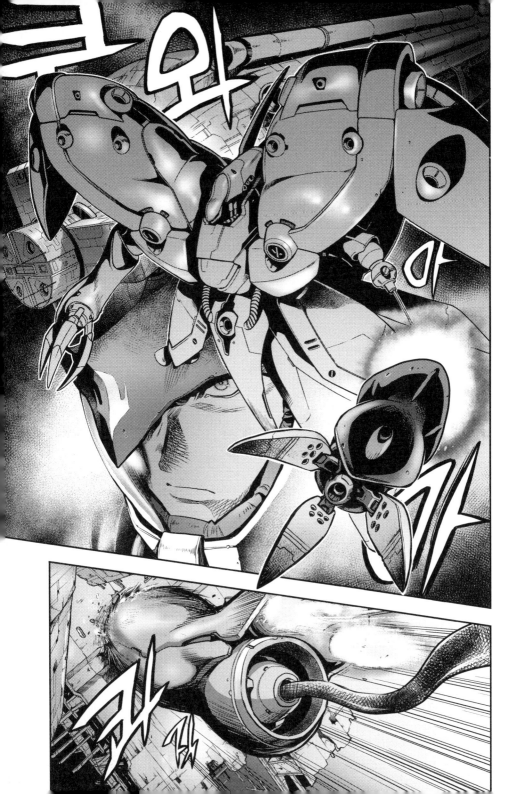

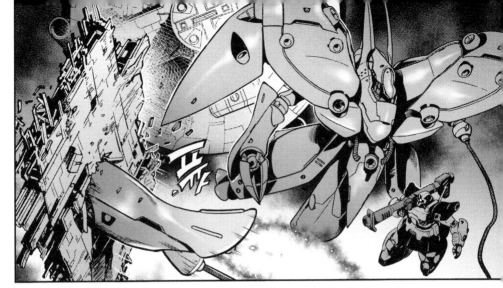

가토 소령님!!
진로상의 잔해는
저희가
치우겠습니다.

괜찮다.

대단한 일도
아니다.

그리고 적이
숨어있을 가능성도
제거해야 하니까!!

라그랑주 포인트 근처는 미노프스키 입자 잔류 농도도 높다.

옛!!

경계를 늦추지마라!! 카리우스.

연방 MS 반응….

그…
하얀 배는
어떻게 됐지?

· · ·

놈의 움직임은
수시로
보고하도록.

공격할
타이밍을
노리는 건가.

연방의
MS가 있는
그 함…
말입니까?

일정 거리를
유지한 채
따라오는 것
같습니다.

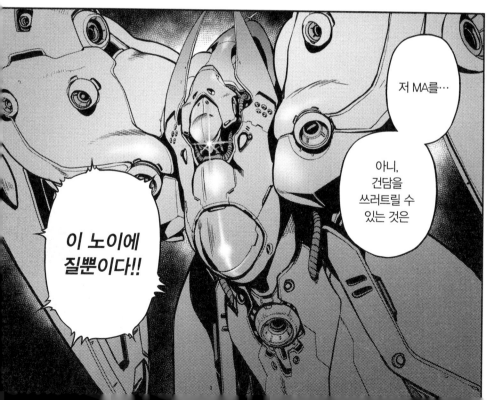

저 MA를…

아니,
건담을
쓰러트릴 수
있는 것은

**이 노이에
질뿐이다!!**

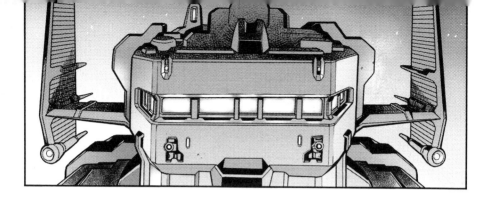

꼭 성공해야
한다!!
시마 가라하우.

그럼
그와덴에서
작전의
알겠나!!   최종 보정을
시마여.   하겠다.

예.

그래!!

그럼,
그와덴에서
뵙겠습니다.

쿠쿠쿠…

콧셀!! 함대는 맡기겠다.

강습반, 준비는?!

언제든 좋습니다.

......

예!!

클라라….

지금부터 델라즈의 목을 딴다.

군인으로서의 규범 같은 소리를 지껄이면

함에서 쫓아내겠다.

해병대를 살리기 위해서 연방으로 넘어갈 생각이다.

좋은 대답이다.

그럼 너도 MS를 타고 따라와라.

예!!

저는…

시마 님의 명령에 따르기 위해서 여기 있습니다.

너희 목숨!!

이 시마 가라하우가 쥐었다!!

너무 무리하지는 마십쇼.

어이쿠 시마 님.

미안해 영감!!

좀 더 고생해 줘야겠어.

여기는 마음이 편합니다.

그래서 무슨 수를 써서라도 지켜야 하고!!

우리한테 이 릴리 마를렌은 집이다!!

거베라를 이송할 때 연방에 쫓기던, 그 지온 병사였던…

그 사람?

그러고 보니까 그 사람이 생각났습니다.

그때 시마님이 친근하게 이야기하던 게

계속 궁금했거든요.

게일…

맞습니다!! 게일 헌트 중령.

전 해병대 부대장!!

내가 그 자식이랑 친근하게 말했다고?!

웃기지 마라.

그 이름을 또 말하면 죽여버리겠다.

예…

거베라 테트라의 머리 수리는 끝났습니다.

잘 했다.

겔구그 예비 부품 유용입니다만.

시마 님과 무슨 관계려나.

…

게일 헌트….

이건 초경합금탄을 쏘는 레일 라이플이다.

출력 문제로 연사는 못 하지만, 필드 기체에도 유효하고…

야, 듣고 있나?

…

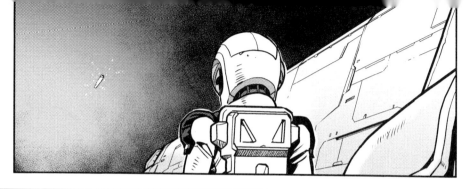

전부
네가 짊어질
필요는 없다

우라키.

케리 씨….

그건 파일럿의
오만이다!!

걸핏하면
그런 생각을 하지만,
잘못된 생각이다.

내가 잘 했다면
이겼다든지

게일!!

저 기체는…

그럴만한 용건이 있다는 것인가?

잔해로 위장해서까지 앞을 막아섰다면

귀공이 누군지 알고 있다. 전 해병대(MAU) 부대장, 게일 헌트 중령.

진언?

절박한 상황이니 짧게 말하라.

각하께 진언할 일이 있어서 왔습니다.

저 자식!! 연방을 버리고 다시 지온에 붙겠다는 건가!!

게일!! 게일!! 게일!!

시마 님!!
저 기체는….

그래!!
최악의
상황이다.

그걸 미끼로
델라즈한테
붙으려는 건가!!

게일은
내가 연방군과
내통하는 걸
알고 있다.

게일
헌트!!

웃기지
말라고!!

철
컥

제62화 「주사위 놀음」

클라라!!
신호하면
저놈을 쏴라!!

예!!
시마 님.

허나….

시마여,
물러나라.

듣고
싶다.

그 사내의
말…

흥!!

쿡….

30

어디,

여기까지 오는 동안 많은 사정이 있던 것 같군, 게일 중령.

아, 이 기체 말입니까?

연방에서 빼앗은 놈입니다.

각하가 다시 연방에게 선전 포고하신 덕분에

저 같은 놈도

연방이 정보 협력이라면서 필요로 하더군요.

흥, 밀고자로서 말인가.

귀공만큼 무공을 세운 자가 어째서

기어다니는 개 같은 짓을 했나?

무공? 그딴 게 어디 있습니까.

그 아 바오아 쿠 전투에서 부대는 전멸….

혼자서 꼴사납게 살아남은, 패배한 개입니다.

이 3년 동안…

매일같이 부하들 생각을 했지…

그럴수록!! 동포의 원수를 갚아야 하지 않나!!

죽어간 부하들에게 미안하지도 않은가?!

MOBILE SUIT
GUNDAM
0083
REBELLION
STARDUST MEMORIES

MOBILE SUIT
GUNDAM
0083
REBELLION
STARDUST MEMORIES

하지만 죽은 녀석들은 아무것도 할 수가 없습니다.

그렇다면 살아남아 버린 자가

어떻게든 해줘야 하겠죠.

이렇게 다시 궐기한 것이다!

우리가 대의를 보여주기 위해

전쟁에 진다는 건 그런 것이다.

그렇기에!!

내 투쟁은 뜻있는 자를 이끌기 위한 것이다!!

함께 싸워라!!

격추
해라!!

지
잉

징
크

악
와

함장님!!
적 진형 안에서
전투 반응을
확인!!

궤도 함대의
공격인가?!

잘 모르겠
습니다!!

으음...

우라키 중위!!
건담은 출격
가능한가?

가능합니다,
함장님!!

이 상황에서
전력 저하는
상책이
아니니까.

레즈너 대위에
관해서는
우라키 중위의
판단에 맡긴다.

쓸데없는
전투는
피하도록!!

임무는 어디까지나
상황 확인이다!!

알겠습니다!!

건담 3호기
덴드로비움!!

갑니다!!

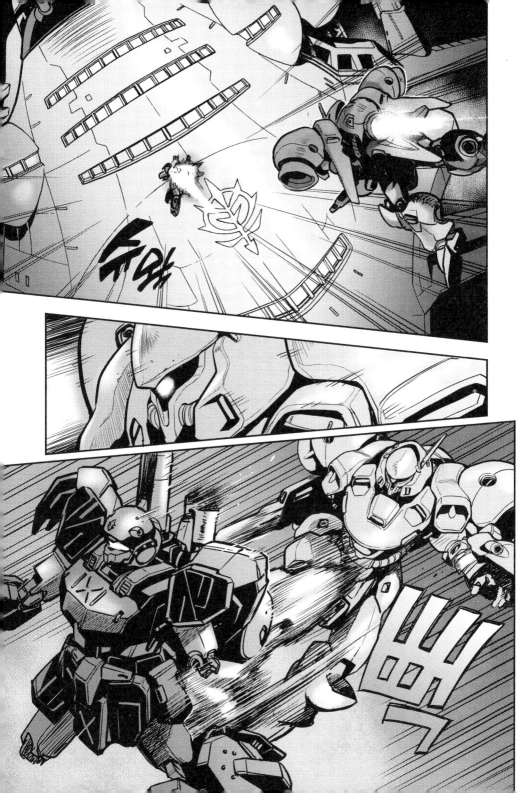

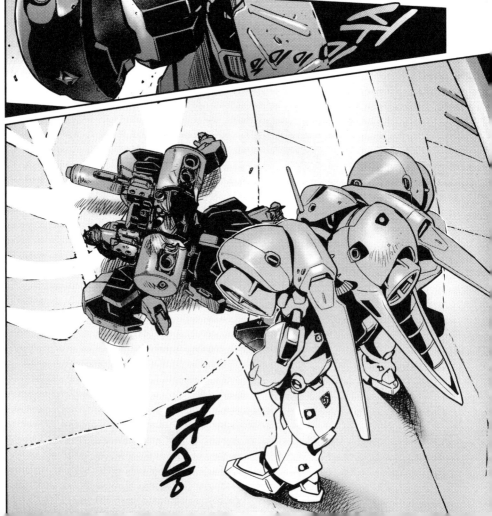

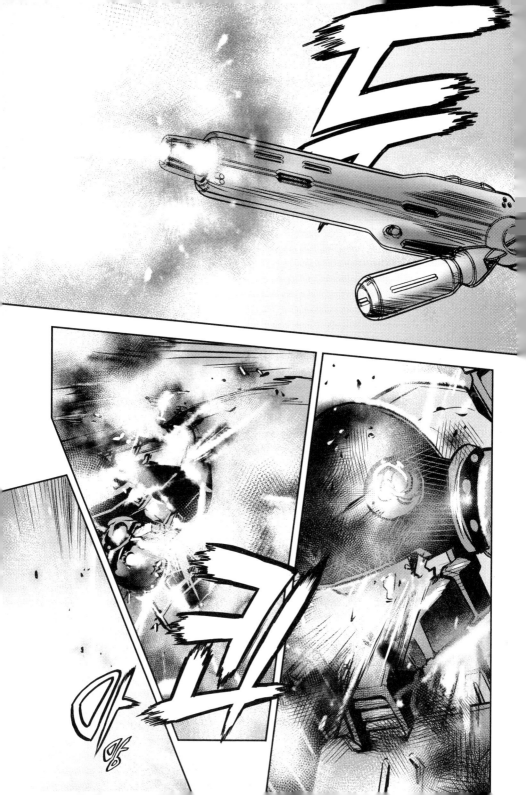

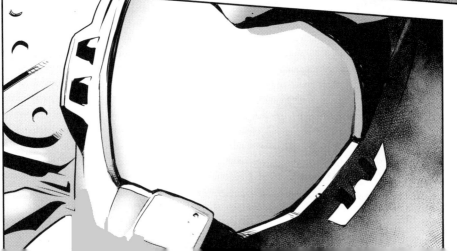

지금 섬광이 보였습니다!!

이 거리에서는 잘 모르겠군.

정체불명의 적 초계기 포착.

아마도 하얀 MA입니다.

건담…!!

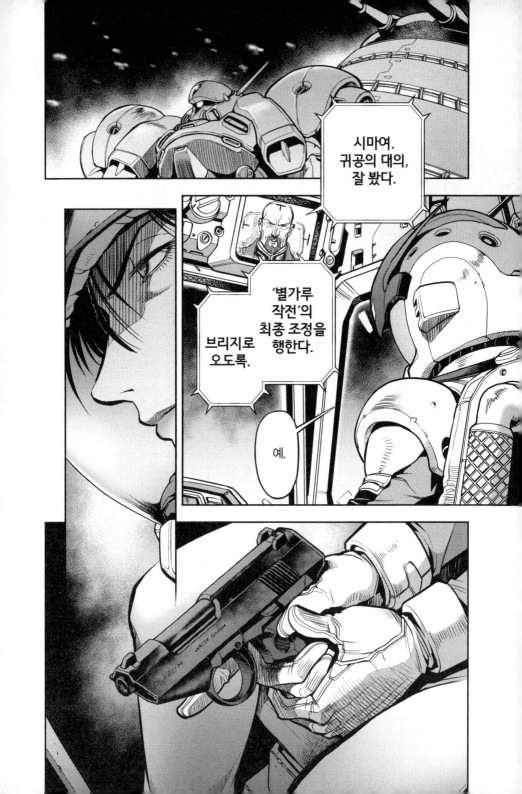

MOBILE SUIT
GUNDAM
0083
REBELLION
STARDUST MEMORIES

MOBILE SUIT
GUNDAM
0083
REBELLION
STARDUST MEMORIES

더 이상
아무 말도
않겠다…

건담을
해치울 뿐!!

건담 3호기가
적과 접촉!!

후퇴
하라고
해!!

우라키 중위에게
전투는 피하라고
전하게.

적 함대 전력 해석 결과가 나왔습니다.

적 함대는 콜로니를 중심으로 윤형진을 짜고 있습니다. 숫자는…

기함 그와진급 1, 잔지발급 1, 무사이급 순양함 22, 수송함 및 불명함 등 약 30척입니다!!

전개한 MS는 확정 불능!!

알비온 한 척으로 어떻게 할 숫자가 아니군.

콜로니 낙하 저지 한계점까지 남은 시간은?

궤도 함대는 왜 가만히 있지?! 상부는 대체 무슨 생각인가?!

으음…

앞으로… 8시간 22분 입니다.

70

안돼 코우!!

어디서 그 정보를 ….

설마? 액시즈는 연방군과 중립 관계입니다만.

…

무기 환장 타이밍이 너무 늦어!!

오토에서 매뉴얼로 교환하는 타이밍이 중요해!!

그래!! 그러면 돼!!

하지만
엔지니어
로서
아직
할 일이…

예?!

본격적인 전투가
시작되기 전에
이함하도록.

오데비 양,
런치를 한 척
준비하겠네.

더
빨리!!

쿠우!!
더…

특히
퍼플턴 양은…

이미 한계가
아닌가?

자네들은
더 이상 이 일에
관여해선
안 되네…

……

귀공의 충의,
잘 지켜봤다.

예.

게일
헌트 건은
잘 해줬다.

시마여.

콜로니의
최종 낙하 궤도
수정 지시서다.

확인해두도록.

그럼…
콜로니 낙하의
목표는…

자브로가
아니라는…
말씀이십니까?

이 전쟁은
이미
무력에 의한
소모만으로는

결판을 낼 수
없는 단계에
들어섰다.

스페이스
노이드가

진정한 독립을
쟁취하기 위한
콜로니 낙하!!

허나 알 수 없는 건, 정면의 궤도 함대는 어이해 움직이지 않는 것인가…?

귀공은 어찌 보나? 시마여.

무슨 일이든 예상치 못한 일이 벌어진다는…

게일이 남긴 말입니다, 각하.

주사위…?

무슨 말인가?

…

어차피 이 세상은 '주사위 놀음'. 주사위 눈에 달렸다…

시마…!

이건 예상
못 했나.

주사위를
던지는 건
이 시마라는
얘기다.

에규 델라즈
각하님.

대의 따위로는
부하들을
먹여 살릴 수
없거든.

대의 없는
싸움 활로는
없다!!

정신
차려라
시마!!

웅

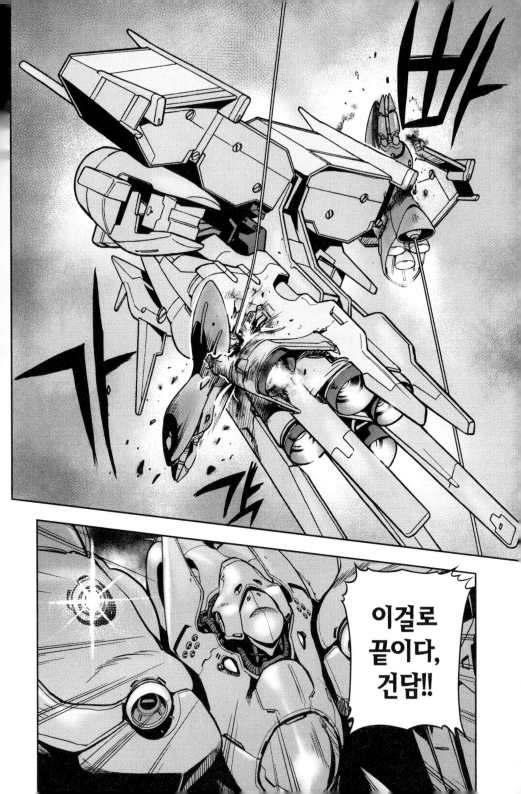

무기도 떨어졌고 기체도 망가졌다…

안 된다 우라키!!

도… 도망치지 마라 가토!!

기체도, 우리도….

태세를 바로잡아야 한다.

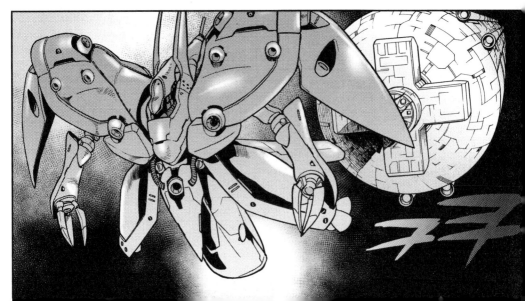

저건가!!

본대는
아니고…
선발대인가?!

연방 놈들,
무슨 생각이지?!

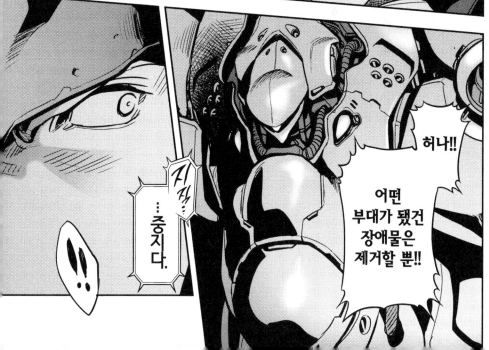

허나!!

어떤
부대가 됐건
장애물은
제거할 뿐!!

지잉…

…중지다.

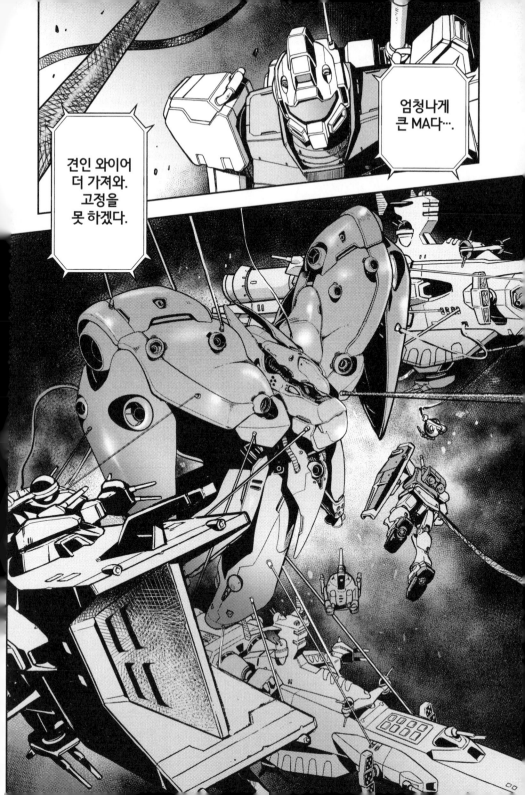

전 구역에
정전 명령!!

궤도 함대는
그걸 알고서
움직이지
않았다는…
것인가.

내통자가
있었나?

적 사령관의
신병을
확보했다는
통신이!!

함장님!!

수리 작업을
서두르라고
할까요?

당연하지!!
서두르라고
해.

건담 귀환!!
좌현 작업
덱으로….

마음에
안 드는
수법이군….

전투
중지…?!

농담이지?
시몬.

상황이
어떻게 변화할지,
아무도 모른다…!!

자세한
정보는
알아보는
중입니다.

건담의
보급과
수리는
계속합니다.

EYPH

진정해라
우라키.

우리는
다음 출격에
대비할
뿐이다.

여기까지
와서…!!

말도
안 돼!!

아나벨 가토가
이 정도로
굴복할 리가
없다.

케리 씨…

2호 노즐은
블록째로
떼어내는
수밖에
없고.

5호 노즐의
출력을 낮춰서
균형을 잡자.

……
컨테이너는
교환이네.

정비에
30분이라는
건가.

시스템
재조정도
필요해.

우라키 중위, 미리 말해둘게!!

…

저기… 니나는?

건담 3호기 담당 엔지니어는 나야!!

분명히 니나도 치프로 설계에 관여했지만

그럼 장비를 다시 조정해 주세요.

지금 상태의 건담으로는 가토의 MA한테

이길 수 없습니다….

?!

그와덴 경비대가 반란을 진압할 거라고 생각했는데

역시 해병대야. 움직임이 빨라.

시마 중령의 반란에 엄청나게 화를 냈습니다.

허슬러 소장님께 보고했습니다, 캐딜락 대위.

하지만 이래선 노이에 질의 기동 데이터 수집이 문제가 아냐!!

우리 액시즈는 이 전투에 개입할 수 없어!!

노이에 질 공여를 연방에 들키지 않게, 즉시 귀함하라고 하셨어.

어쩔 거야, 올리버?

하지만
…

난 끝까지
지켜보고
싶어.

노이에 질을
조종하는…
가토 소령님을.

그렇게
말할 줄
알았어.

상황이
엉망이군.

조금 전까지
아군이라고
믿었던 자들이
포문을 겨누고
일촉즉발이라니….

…

저희 입장도 미묘 합니다.

나웨스트 함장님.

달에서 썩고 있던 지온 잔당인 우리가, 델라즈 각하의 궐기에 촉발된 것도 사실이고.

솔직히 시마의 권유로 전장에 복귀한 것도 사실이니까…

그래서?

어디에 붙을 겁니까?

무슨 소리, 우리한테 선택권 따위는 없어.

상황에 따른다는… 거군요.

뭐, 대충 그래.

제가 원하는
건담은…

기동력과 화력을
양립한 기체입니다.

그렇게
상정하고
설계했어!!

하지만
….

가능해,
코우!!

니나!!

네가 원하는
건담으로
만들어줄게.

건담 3호기는
'스테이멘'을 중추로
다원 운용을 목적으로
개발한 기체니까.

가토!!
얌전히
투항하라고.

......

패군의 장수는
미련이
없어야지….

아주 감명 깊은
말씀입니다…
각하!!

거창한
대의를 품고,
많이
힘드셨겠죠.

아니면,
고양감에
취해 있을까?

각하의 대의를
부하들이 얼마나
이해했는지,
보여드리겠어.

잘 들어라
함대 병사
제군…

전쟁사에 이름이
새겨질 거라고
생각했겠지만,
아쉽게도
그렇겐 안 된다.

왜냐하면
별가루
작전은
성공하지
못하니까.

118

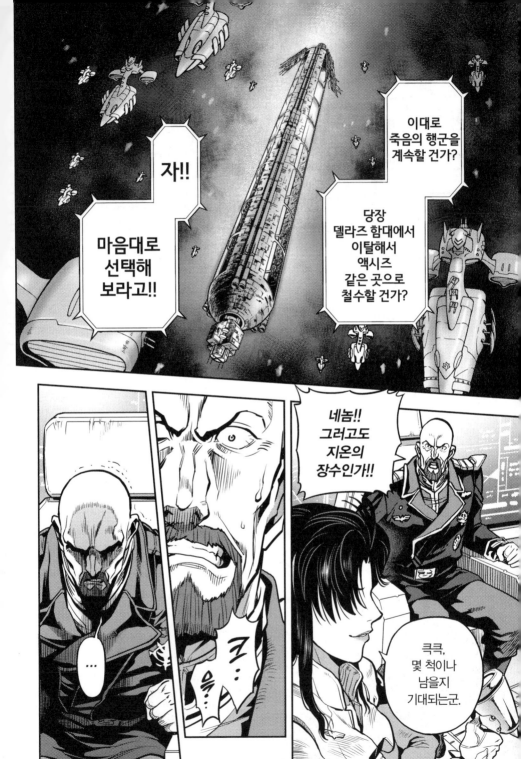

죽고
죽이는 짓이
안 끝나는
거다….

너 같은 놈이
있으니까

제64화 「혼미한 초연」

델라즈
각하!!

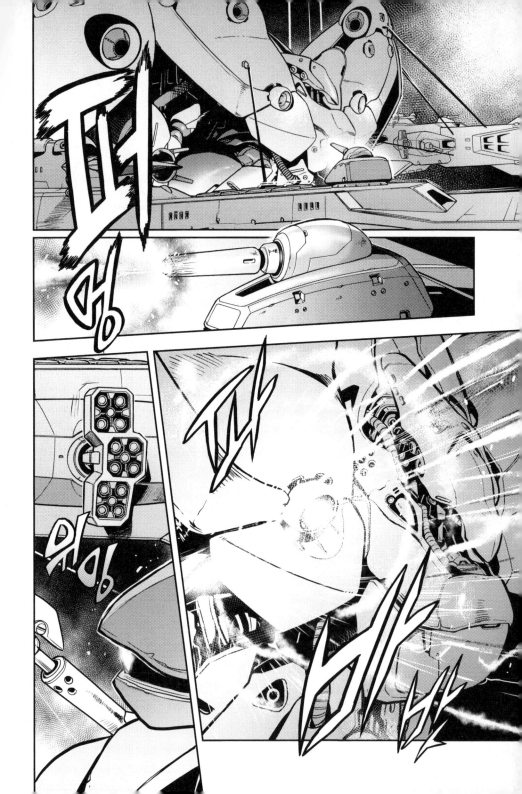

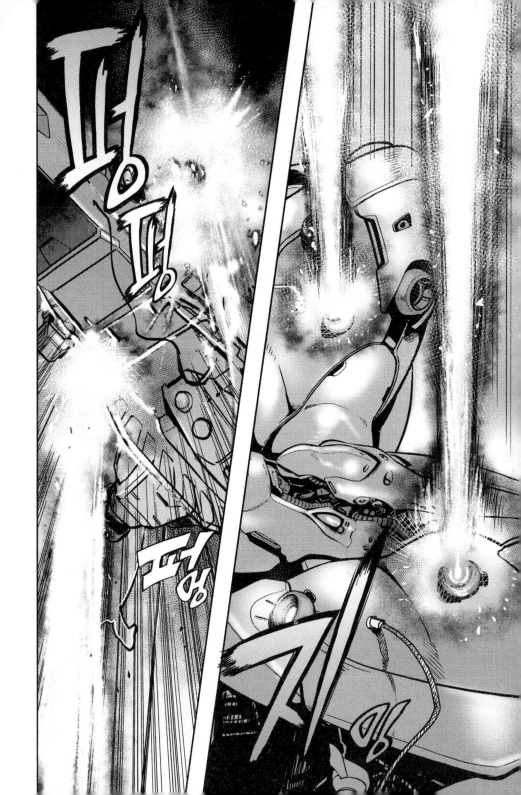

델라즈 함대에서 이탈하는 함은 하나도 없는 것 같습니다!!

흥!! 가토 자식, 쓸데없는 짓을…

놈의 고삐를 잃은 게 문제였나.

…

시마 중령.

아무래도 실패한 것 같군.

네놈들 전범 해병대가 연방에 편입되기를 바란다면!!

그렇다면 계약대로 델라즈 함대를 닥치게 해라.

...

이 전개도 계약에 있었을 텐데.

바스크 자식!! 잔소리는!!

난 이유만 있으면 돌아선다.

그래, 게일!!

연방에 편입?

138

시작해!!

질릴 정도로
추한 싸움이네…

…

시마의
이 수완….

오래전부터
연방과 계획을
꾸민 것 같은데.

적 함대 내부에서 전투라고?!

상황을 모르겠군!! 자브로에서 온 지령은 없나?

크···

가만히 구경하라는 건가.

사령부 에서는 아무 말도···.

건담의 보급과 환장 상황은?

앞으로··· 약 20분이면 끝난다고 합니다.

영양제 가지고 왔어.

잠들었나 보군…

미안하다…

…

많이 피곤한가 보네…

케리 대위.

루세트야, 해치 열게.

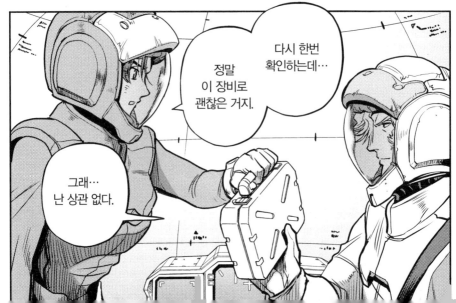

다시 한번 확인하는데…

정말 이 장비로 괜찮은 거지.

그래… 난 상관 없다.

그럼, 무모한 짓은 안 한다고 약속해!!

내 소중한 기체를, 반드시 데리고 돌아오겠다고!!

그… 그래.

당신, 아빠가 된다면서.

…

니나한테 들었어.

실감은 안 가지만.

…그렇다더군.

살아
남는다고
해도…

…

이런 내가
라트라한테
돌아갈 수는
없지.

꼭!!
살아서
돌아와야 해!!

이 장비는
스테이멘의
무장 강화가
주축이야!!

이게
코우가 원하는
기체일 거야!!

기체의
특성을 살리면
가토가 탄
MA의 사각을
노릴 수 있어.

그러
니까!!

응?

아,
응….

…

코우!!
듣고 있어?!

잠깐만!!

제대로 들어봐, 니나!!

가토 소령님!! 해병대의 반란은 이쪽에서 대처 하겠습니다!!

소령님은 솔라 시스템 파괴를 우선해 주십시오!!

하지만… 시마만은 용서 못한다!!

알고 있다!! 카리우스.

KARIUS.

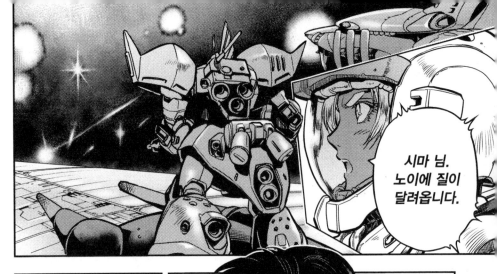

시마 님.
노이에 질이
달려옵니다.

게일!!

가자.

결판은
내야겠다
이건가!!

성실하기도
하군!!

뭐?
그게 무슨
소리야?!

나는 이제
주사위를 던지지
않겠다.

아까
못 해치운
놈인가!!

도망친 건
너다.

카리우스,
너는 가라.

솔라 시스템
파괴를
우선해라.

크다…

…해병대
따위는

하지만!!

사자분신의
기세를
막을 수…

없다!!

전개 작업은 어떻게 돼가나?

작전 오차가 발생하고 있다. 서두르라고 해!!

솔라 시스템 II 미러 전개율 78%입니다.

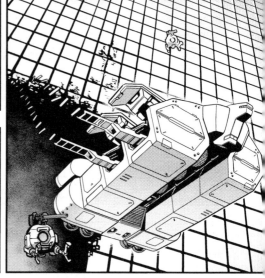

흥!! 콜로니만 증발하면 된다!!

적이 아무리 발버둥 쳐도 우리의 승리는 변함이 없다!!

두두
두두

두

90mm 탄으로는
저 장갑을
뚫을 수 없어!!

무시하네

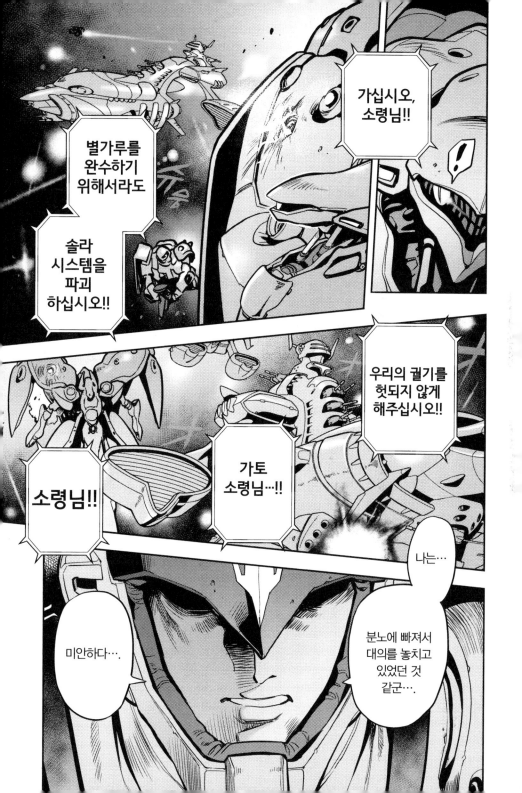

괜찮으
십니까?!
시마 님

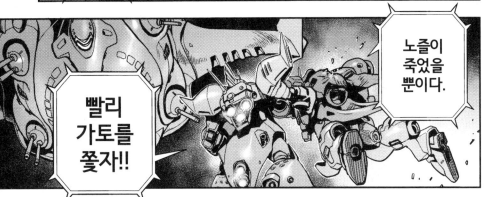

노즐이
죽었을
뿐이다.

빨리
가토를
쫓자!!

말도 안 돼!!
그런 명령이
어디 있나!!

시마 함대와
같이 싸우라고?!
사령부는
대체 무슨
생각이지!!

이 정치가 놈들….

추한 거래를 전장에 끌어들이지 마라!!

진정해라 키스!!

조금 전까지 적이었는데요!!

그럴 수도 있는 겁니까?!

식별신호를 확인하면서 싸우라는데!!

웃기지도 않아!!

해병은 아군이고, 나머지는 적?!

어떻게 구별 하라는 건데?!

MOBILE SUIT
GUNDAM
0083
REBELLION
STARDUST MEMORIES

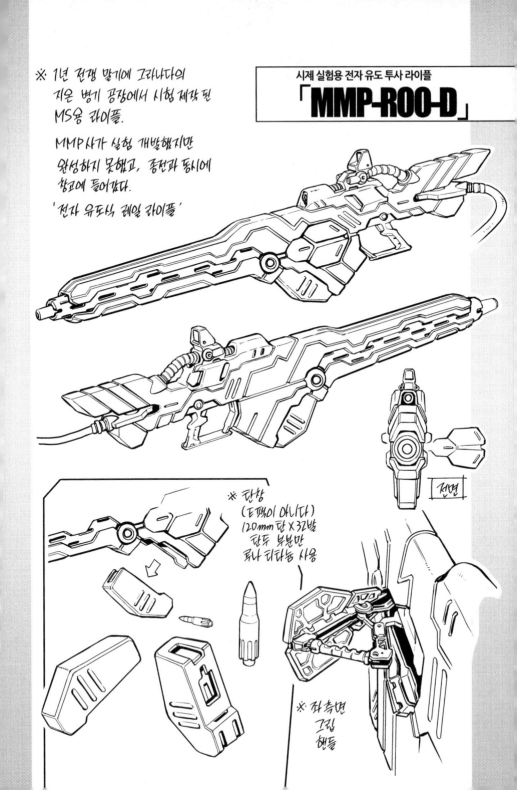

※ 1년 전쟁 말기에 그라나다의
   지온 병기 공장에서 시험 제작 된
   MS용 라이플.

   MMP사가 실험 개발했지만
   완성하지 못했고, 종전과 동시에
   창고에 들어갔다.

   '전자 유도식 레일 라이플'

시제 실험용 전자 유도 투사 라이플
「**MMP-ROO-D**」

※ 탄창
   (드럼이 아니다)
   120mm 탄 × 32발
   탄두 부분만
   루나 티타늄 사용

※ 전면

※ 좌 측면
   그립
   핸들

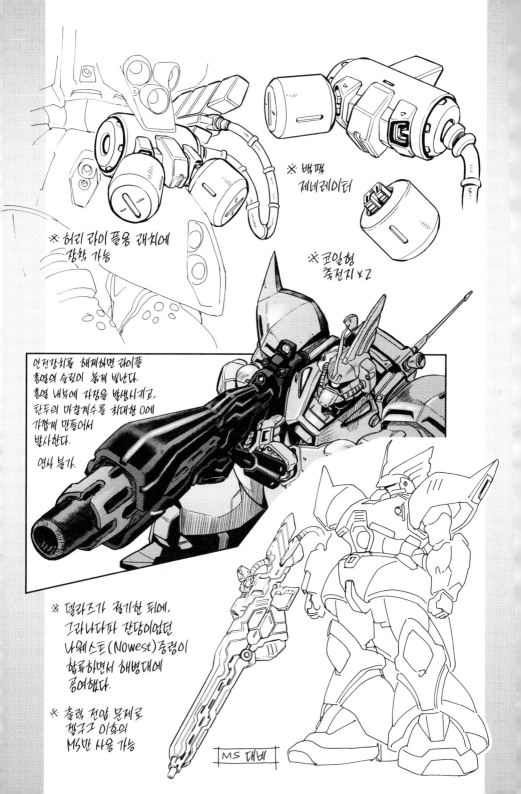

※ 백팩
제네레이터

※ 허리 라이플용 래치에
장착 가능

※ 코일형
축전지 ×2

안전장치를 해제하면 라이플
총열의 슬릿이 붉게 빛난다.
총열 내부에 자장을 발생시키고,
탄두의 마찰계수를 최대한 0에
가깝게 만들어서
발사한다.

연사 불가.

※ 델라즈가 궐기한 뒤에,
그라나다파 잔당이었던
나웨스트(Nowest)중령이
합류하면서 해병대에
공여했다.

※ 출력, 전압 문제로
젤구그 이후의
MS만 사용 가능

MS 대비

기동전사 건담 0083 REBELLION ⑫

2022년 5월 31일 초판 1쇄 발행

만화 나츠모토 마사토
원작 토미노 요시유키 · 야타테 하지메
협력 선라이즈

펴낸이 원종우
펴낸곳 길찾기
주소 (13814) 경기도 과천시 뒷골로 26, 2층
전화 02 6447 9000 팩스 02 6447 9009 메일 edit01@imageframe.kr 웹 http://imageframe.kr

ISBN 979-11-6769-077-7 07830 (12권)
가격 8,000원

MOBILE SUIT GUNDAM 0083 REBELLION 12

© Masato Natsumoto 2019
© SOTSU· SUNRISE
First published in Japan in 2019 by KADOKAWA CORPORATION, Tokyo.
Korean translation rights arranged with KADOKAWA CORPORATION, Tokyo.
through Orange Agency.

MOBILE SUIT
GUNDAM
0083
REBELLION
12